CB060937

A Ialorixá e o Pajé
copyright texto © 2018 Maria Stella de Azevedo Santos
copyright ilustrações © 2018 Enéas Guerra

EDIÇÃO
Valéria Pergentino

EDIÇÃO DE ARTE E ILUSTRAÇÕES
Enéas Guerra

PROJETO GRÁFICO E DESIGN
Valéria Pergentino
Elaine Quirelli

PREPARAÇÃO DOS ORIGINAIS
Graziela Domini

REVISÃO DE TEXTO
Maria José Navarro

Dados Internacionais de Catalogação na Publicação (CIP)
de acordo com ISBD

S237i	Santos, Maria Stella de Azevedo A Ialorixá e o pajé / Maria Stella de Azevedo Santos (Mãe Stella); ilustrado por Enéas Guerra Sampaio. - Lauro de Freitas - BA : Solisluna, 2018. 32 p. : il. ; 23cm x 28cm. ISBN: 978-85-5330-005-1 1. Literatura infantojuvenil. 2. Cultura indígena. 3. Cultura africana. 4. Folhas sagradas e medicinais. 5. Saberes tradicionais. 6. Candomblé da Bahia. I. Mãe Stella. II. Sampaio, Enéas Guerra. III. Título.
2018-1760	CDD 028.5 CDU 82-93

Elaborado por Vagner Rodolfo da Silva - CRB-8/9410

Índice para catálogo sistemático:
1. Literatura infantojuvenil 028.5
2. Literatura infantojuvenil 82-93

Este livro foi editado em 2018 pela Solisluna Design Editora, na Bahia. Reimpresso em fevereiro de 2022, em papel couché fosco 150g/m², pela Gráfica Coan, em Santa Catarina.

Todos os direitos desta edição reservados à Solisluna Design Editora Ltda.
71 3379.6691   www.solisluna.com.br   editora@solisluna.com.br

FSC® C095238 — MISTO — Papel proveniente de fontes responsáveis

Mãe Stella de Oxóssi

a Ialorixá e o Pajé

ilustrações
Enéas Guerra

solisluna
editora

Com mais de noventa anos, o passado, presente e futuro se entrelaçavam na cabeça daquela velha senhora. Velha sim, porque não? Ela dizia: "O ser humano tem as suas fases – infância, juventude, maturidade, velhice –, e cada fase deve ser vivida plenamente e com toda intensidade." Ela tinha uma expressão interessante que demonstrava o seu jeito leve de encarar a vida: "A vida é boa e gozá-la convém."

O passado preenche a sua mente de Joãos, Marias, Sonias, Josés... Muitas pessoas passaram pela sua vida: tantos ensinamentos transmitidos, mas também muitos ensinamentos recebidos. Foram muitos anos educando pessoas para que cuidassem bem dos seus corpos: lavar corretamente as mãos, os cabelos, fazer boa higiene corporal e também ter cuidado com os objetos pessoais e a casa inteira, a fim de evitar que doenças fossem adquiridas e transmitidas uns para os outros. Depois de trinta e três anos de serviços prestados como visitadora de saúde pública, a vida pediu que ela orientasse almas, tornou-se uma sacerdotisa de Oxóssi, uma Ialorixá do Candomblé.

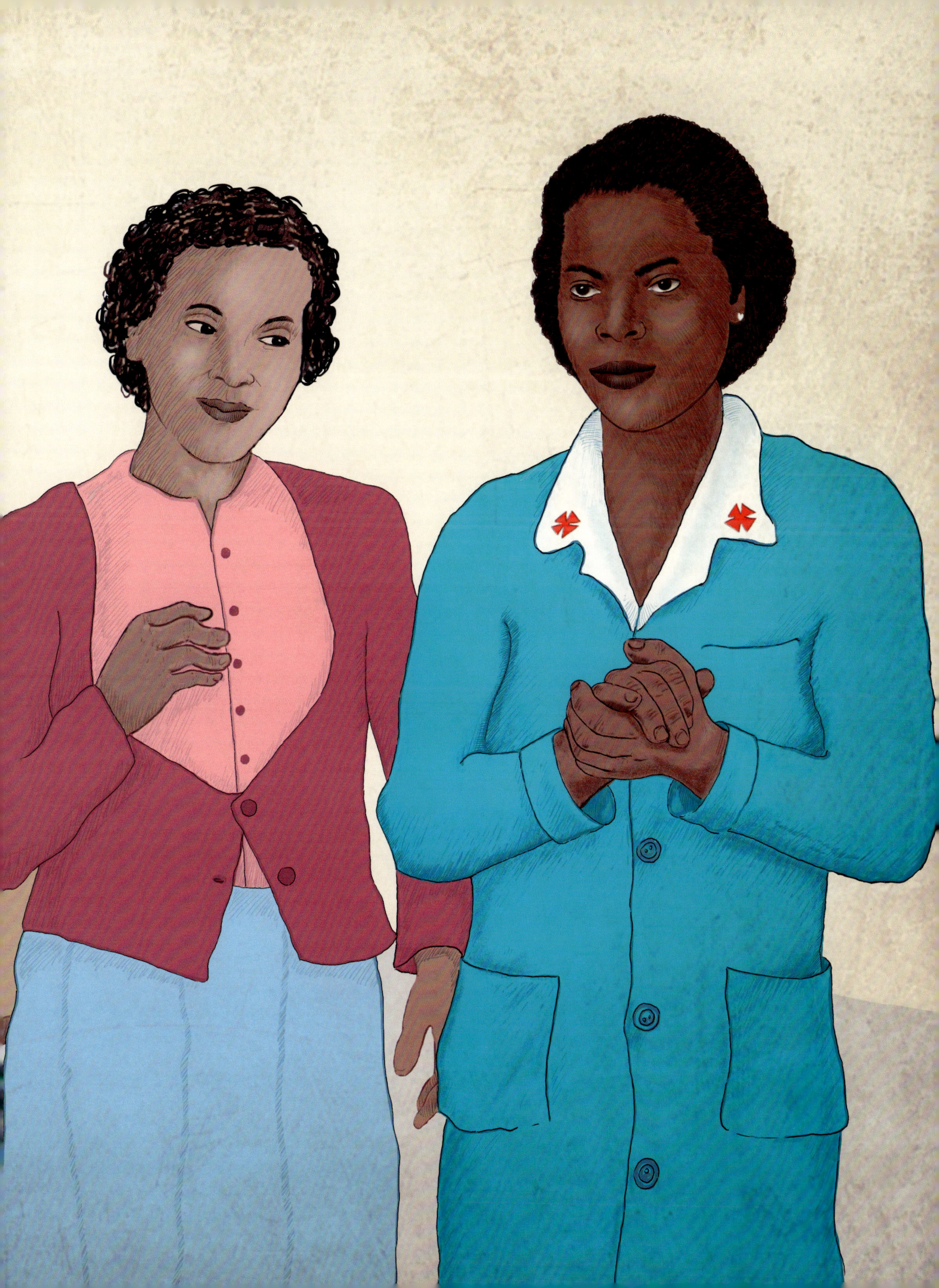

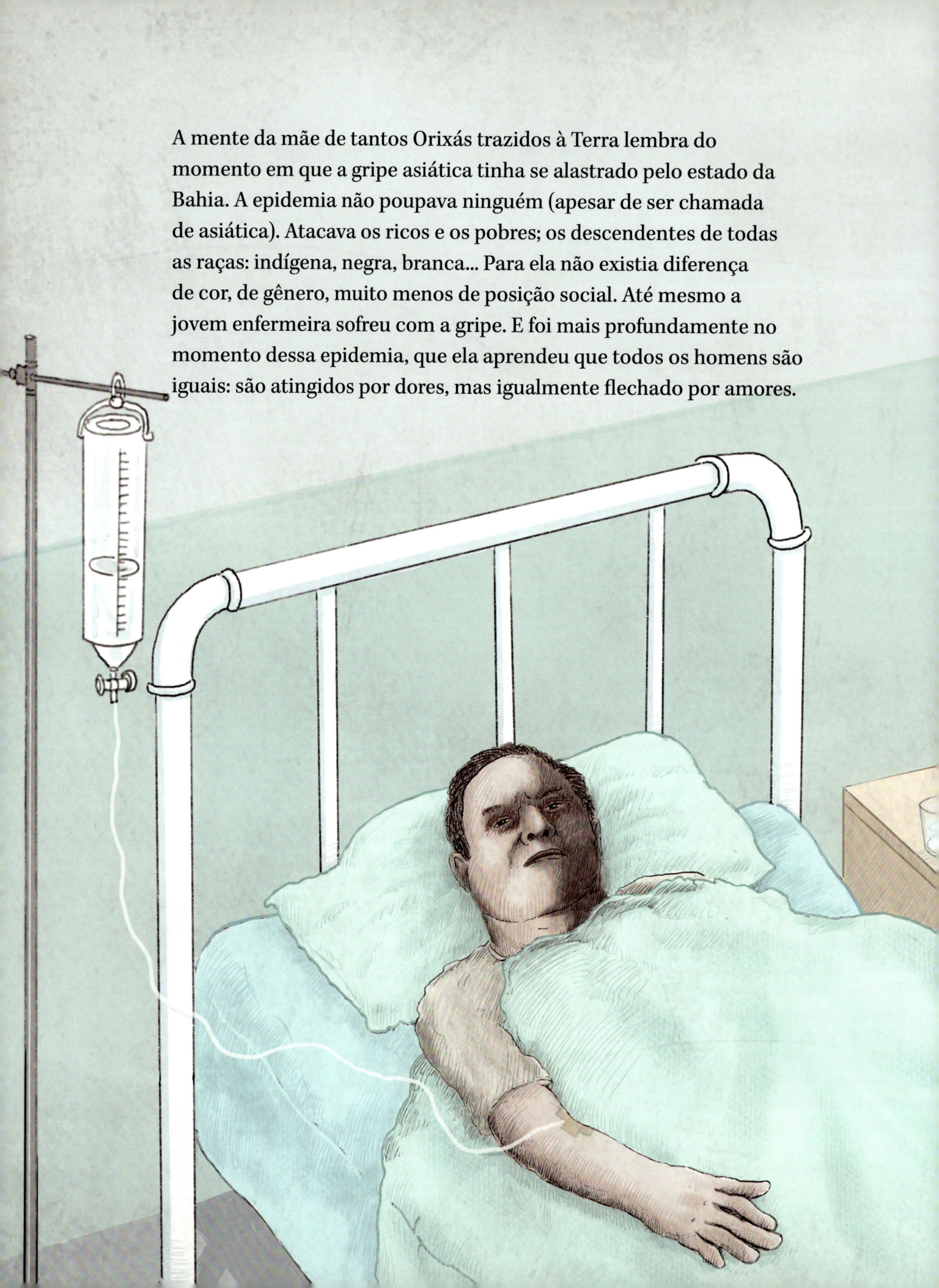

A mente da mãe de tantos Orixás trazidos à Terra lembra do momento em que a gripe asiática tinha se alastrado pelo estado da Bahia. A epidemia não poupava ninguém (apesar de ser chamada de asiática). Atacava os ricos e os pobres; os descendentes de todas as raças: indígena, negra, branca... Para ela não existia diferença de cor, de gênero, muito menos de posição social. Até mesmo a jovem enfermeira sofreu com a gripe. E foi mais profundamente no momento dessa epidemia, que ela aprendeu que todos os homens são iguais: são atingidos por dores, mas igualmente flechado por amores.

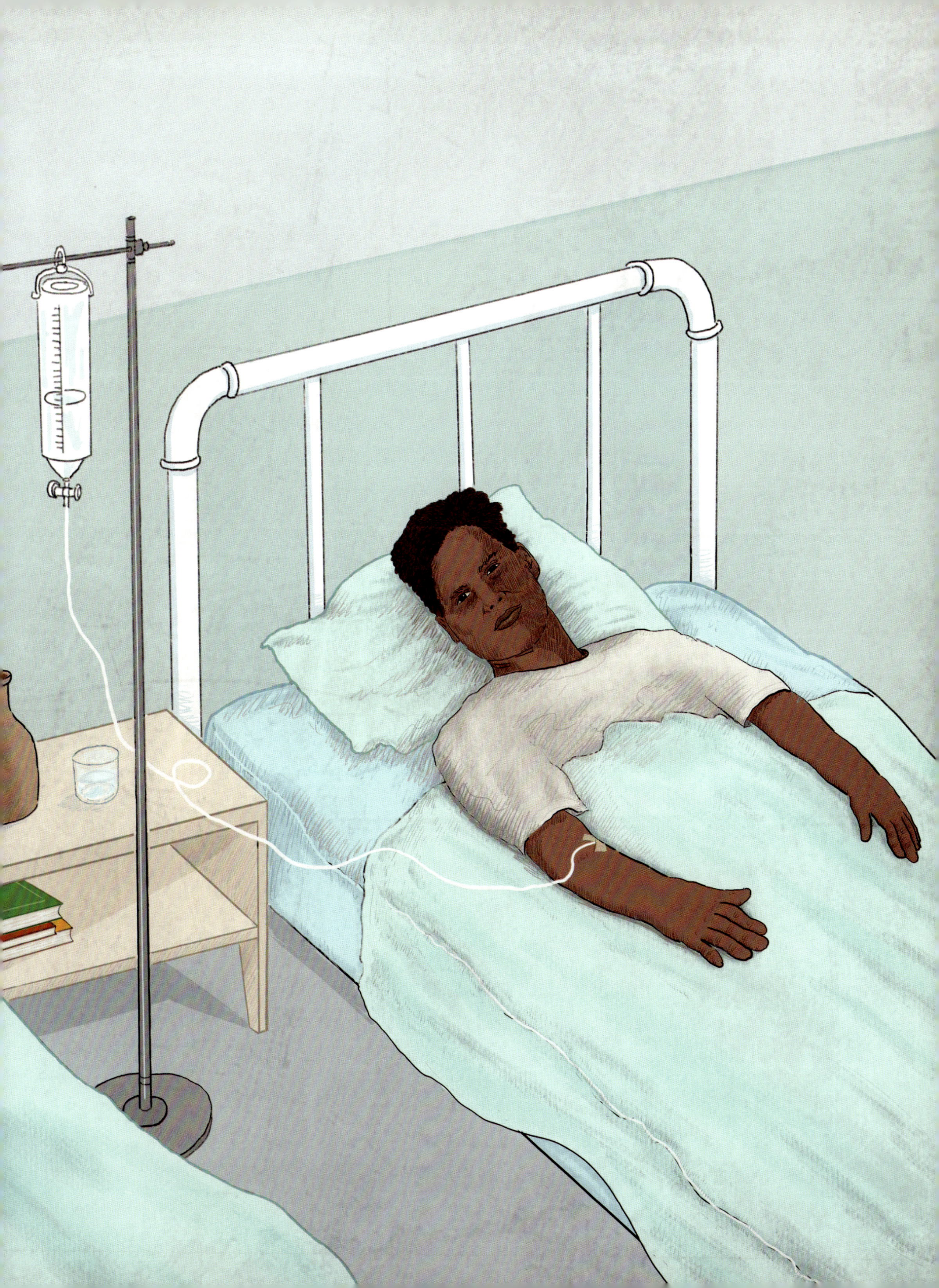

Ela tinha nascido em um país cujo encanto maior estava na mistura das raças e na riqueza da cultura. Conhecia muito bem o modo de ser e viver dos negros, afinal não era só negra, nascida e criada em uma família de descendentes de escravizados, mas também tinha se iniciado, aos 14 anos, no Culto aos Orixás; religião trazida pelos africanos e chamada, no Brasil, de Candomblé.

Também conhecia a cultura dos brancos, que mesmo não sendo maioria no país, era a classe dominante política e economicamente; tinha até mesmo estudado em uma escola na qual era a única negra da classe, e convivia muito bem com todas as colegas; se tinha sido discriminada, dizia ela, simplesmente não viu, muito pelo contrário, era a líder da classe.

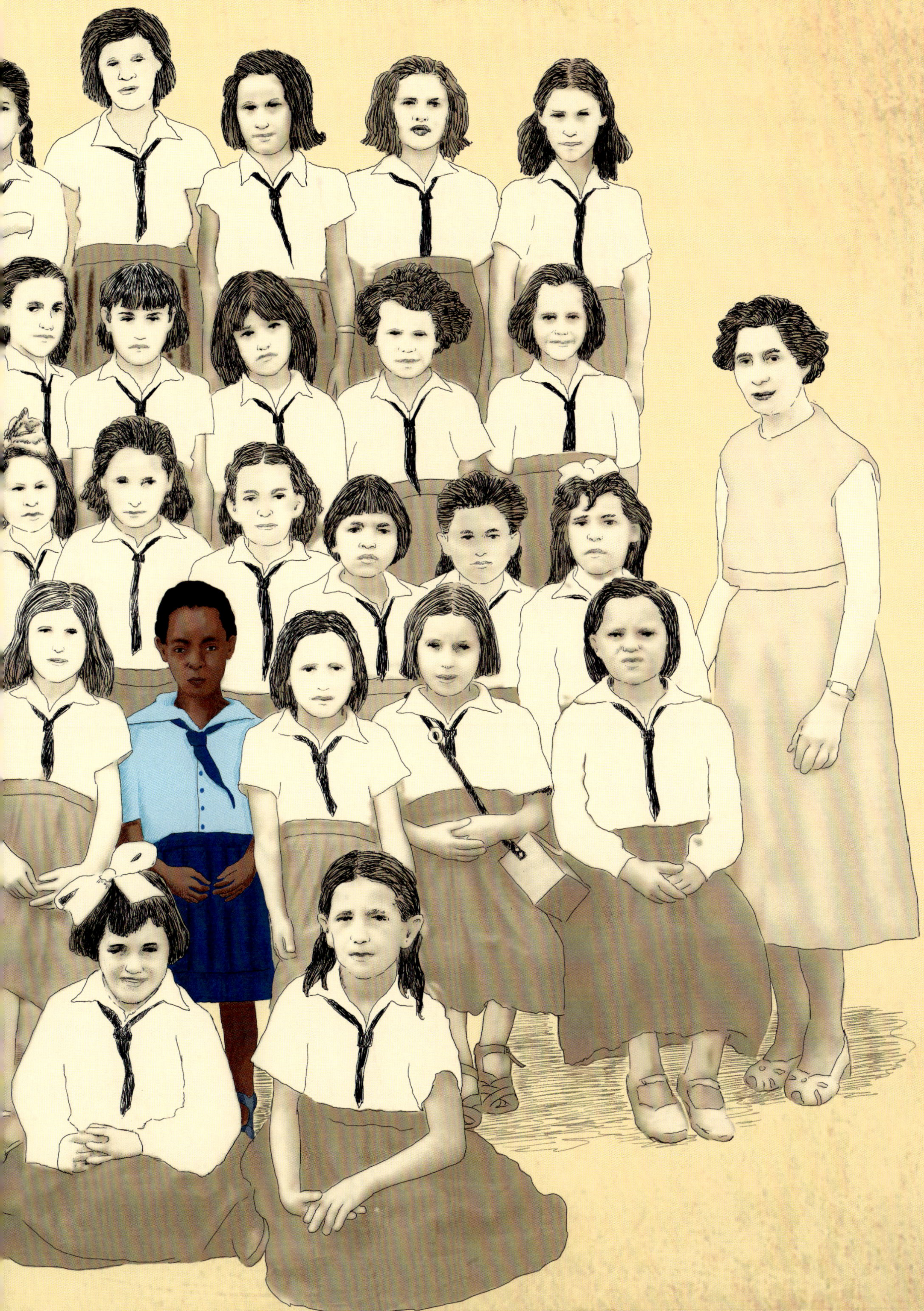

Entretanto foi quando precisou prestar atendimento a uma casa onde moravam pessoas de descendência indígena que a jovem enfermeira teve a maior surpresa e um bom aprendizado, que terminou por levar por toda a sua vida.

Sobre a cultura indígena, no entanto, nada sabia. Ver uma criança deitada no chão, sobre folhas, com adultos dançando ao redor dela e um velho índio soprando fumaça, nada tinha a ver com o que tinha aprendido na Escola de Medicina. Mas a vida e sua experiência como "Filha de Santo" em um Terreiro de Candomblé já tinha lhe ensinado a respeitar, e até mesmo reverenciar a sabedoria não acadêmica, aquela recebida pelo povo através de revelação divina.

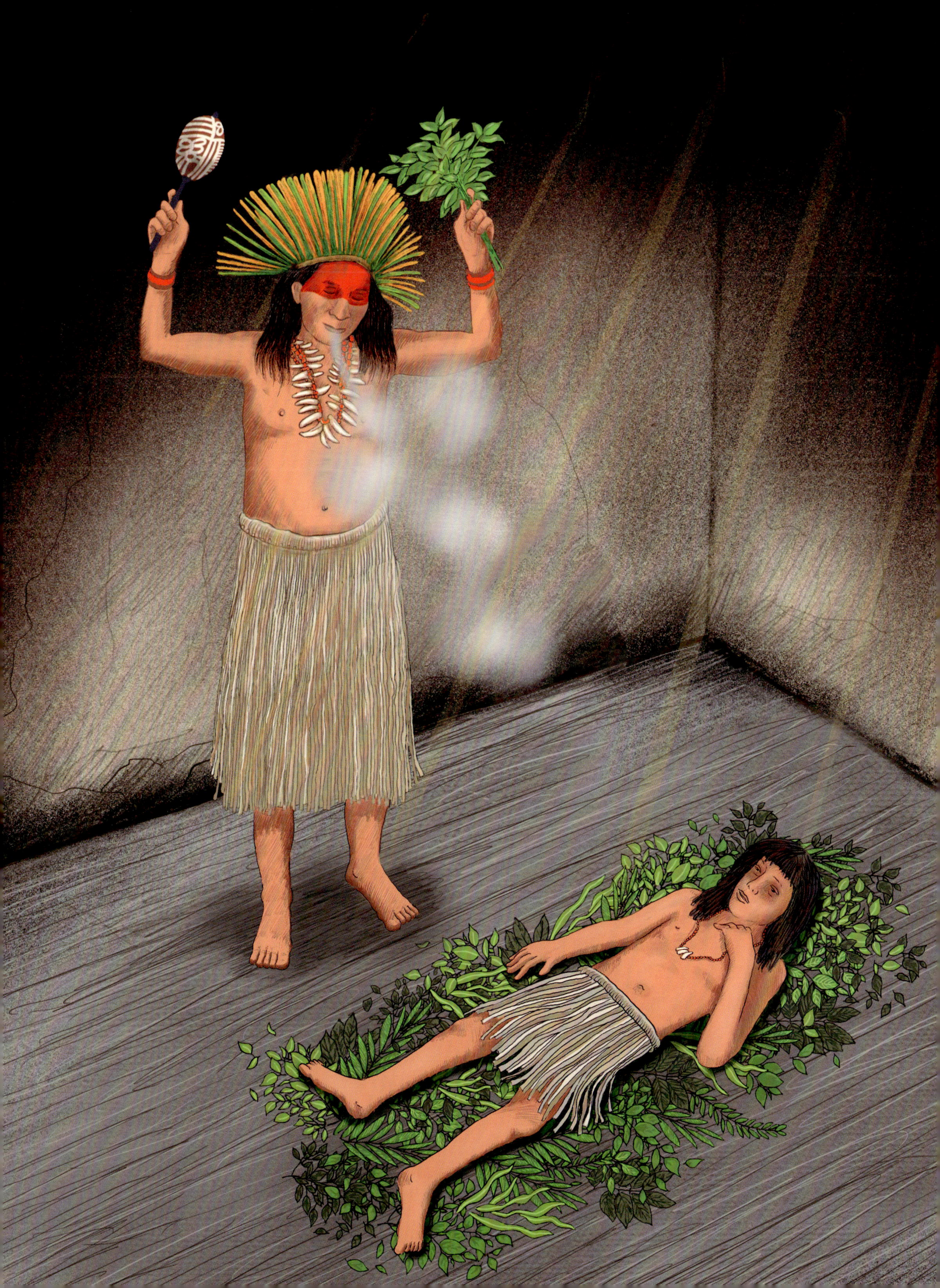

Quanto à gripe do pequeno indiozinho, o sacerdote que curava através da comunicação com o sobrenatural e com o seu vasto conhecimento sobre ervas, adquirido pelo ensinamento dos seus antepassados e pelas revelações recebidas, o Pajé, soube devolvê-la ao espaço. Mas ele não voltou de pronto para a sua aldeia, ficou mais uns dias na cidade de Salvador, onde firmou amizade com a enfermeira. Ambos aprenderam e ensinaram um ao outro, mas também riram muito. Afinal, ela era *Ọdẹ Kàyọ̀dé* – O caçador que traz alegria.

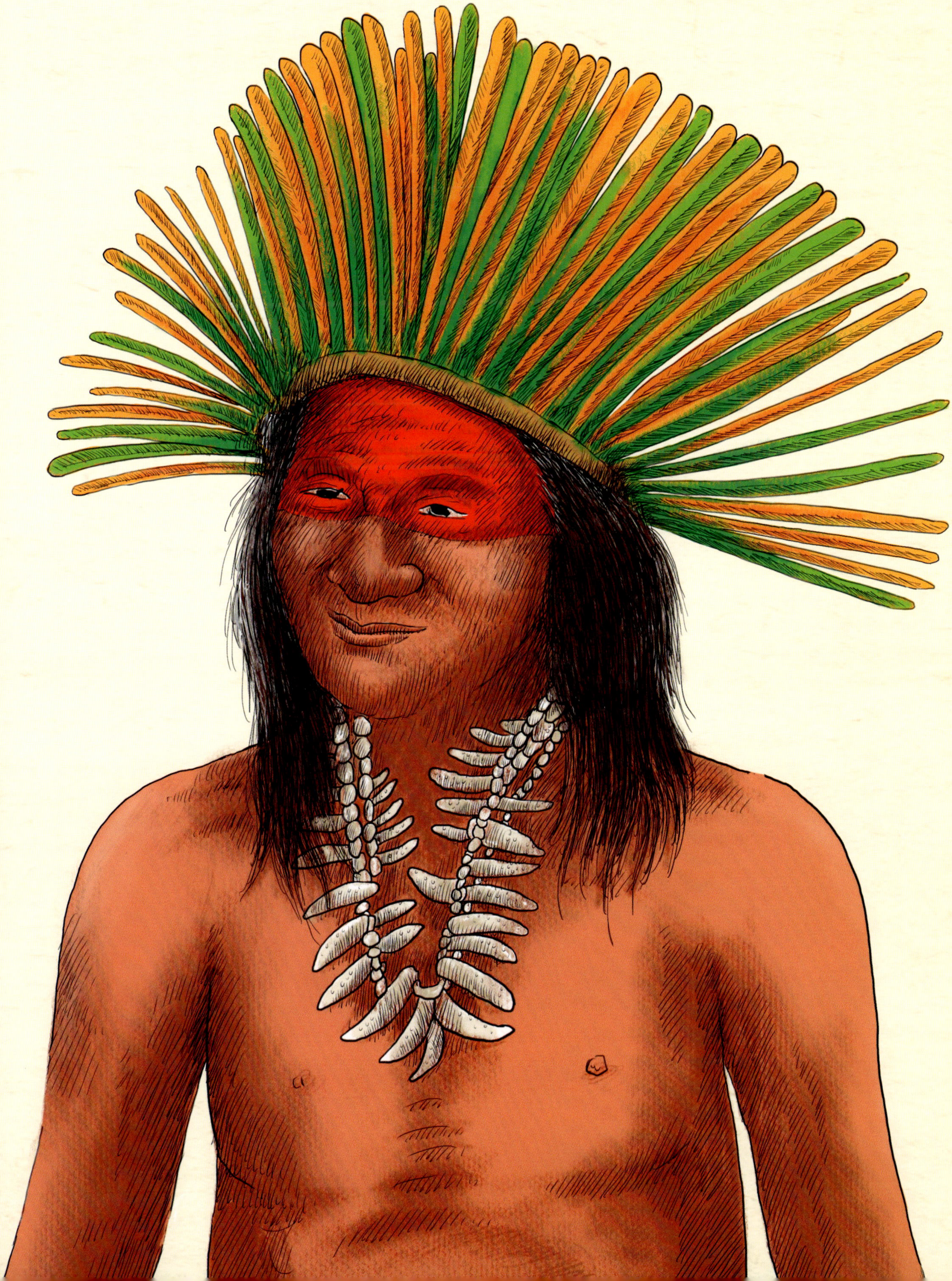

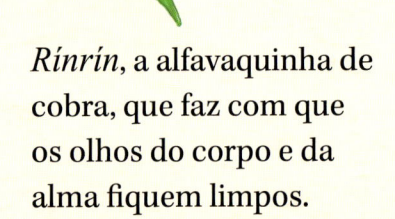

Ọdẹ Kàyọ̀dé dizia para o Pajé quais as plantas que utilizava na sua tradição religiosa:

Rínrín, a alfavaquinha de cobra, que faz com que os olhos do corpo e da alma fiquem limpos.

Pèrégún, usada em forma de banhos ou compressas para ajudar a debelar as dores reumáticas. O nativo, que é muito usada na decoração de ambientes, para espantar a negatividade.

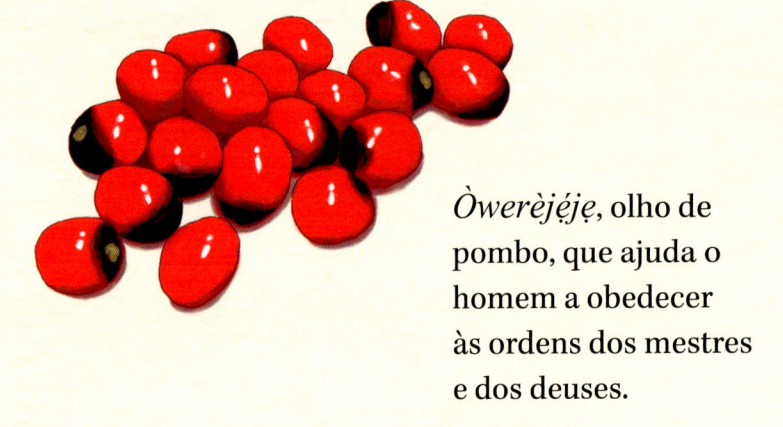

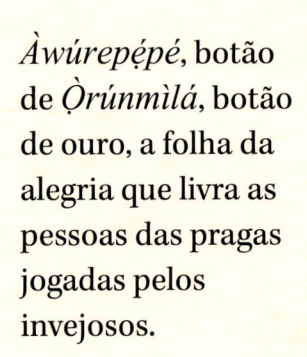

Òwerèjẹ́jẹ, olho de pombo, que ajuda o homem a obedecer às ordens dos mestres e dos deuses.

Àwúrepẹ́pẹ́, botão de Ọ̀rúnmìlá, botão de ouro, a folha da alegria que livra as pessoas das pragas jogadas pelos invejosos.

Ewé-idà-òrìṣà, espada de São Jorge, que corta todas as irradiações negativas.

Kúkúndùnkú, a folha da batata-doce diz que o equilíbrio é fácil quando se conta com a sua ajuda.

Ewé-àjóbí, planta que a semente é uma pimentinha rosa e que, mastigada ao amanhecer, fecha o corpo. A aroeira é um famoso anti-inflamatório popular.

Ewé-orí, a folha da cabeça, que trata dos desequilíbrios mentais.

Copaíba, o uso do seu óleo é infalível no tratamento de secreções nos pulmões e de todo o aparelho respiratório.

Andiroba, anti-inflamatório, com a vantagem de ser cicatrizante.

E o Pajé ensinava para a enfermeirinha a sua medicina, que era feita de chás, emplastos, fumaça, mas que tinha na mastigação das folhas o uso mais comum. Sem esquecer os cânticos, como também acontecia no Candomblé. Cânticos que aumentam o poder das folhas, para que elas cumpram a missão de curar.

Guaraná, o uso em pó dá força ao cérebro e ao coração, faz o guerreiro ser ainda mais guerreiro.

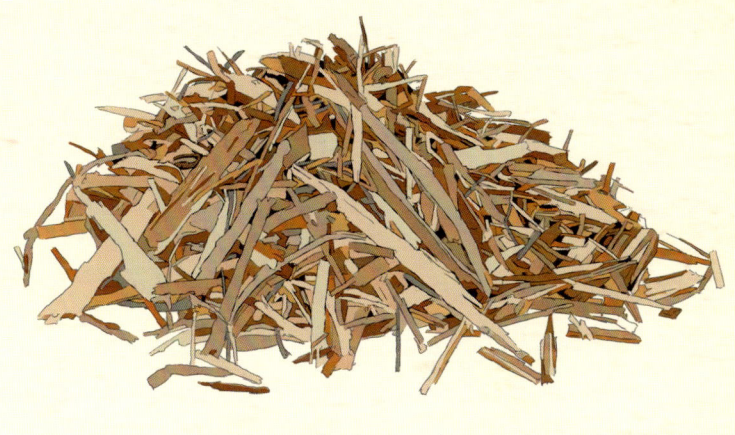

Catuaba, um tônico energético que ajuda a vencer as guerras diárias.

Açaí é um alimento medicinal, que faz o sangue fraco ficar forte.

Sucupira, sua semente é utilizada na medicina indígena contra todo tipo de dores causadas por inflamação, principalmente as dores das juntas.

As lembranças brincavam na cabeça da velha senhora e ela brincava com as lembranças. Mas não gostou de recordar o pouco caso que suas colegas de trabalho fizeram quando ela relatou o fantástico encontro com a medicina indígena. Era muito jovem, na época, ainda não entendia o preconceito que existia entre o mundo acadêmico e o mundo das culturas tradicionais. As suas colegas discriminavam o que não conheciam; não tinham sido criadas, como ela, em uma comunidade religiosa, cujo conhecimento vinha desde o início da existência humana. Era compreensível o preconceito, mas não aceitável. Formar um conceito de algo que não se conhece, e ainda se dar ao luxo de criticar, nunca pode ser aceitável.

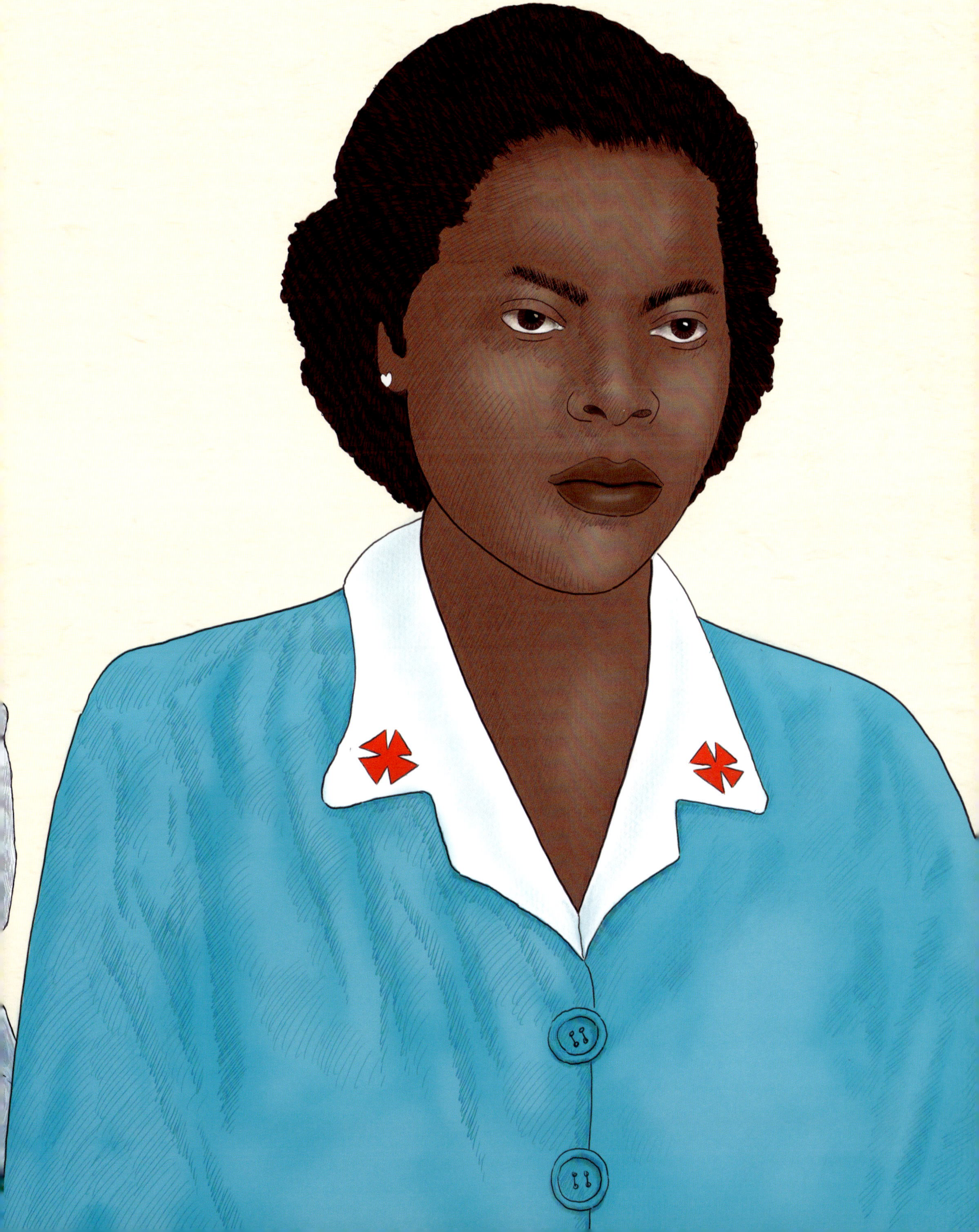

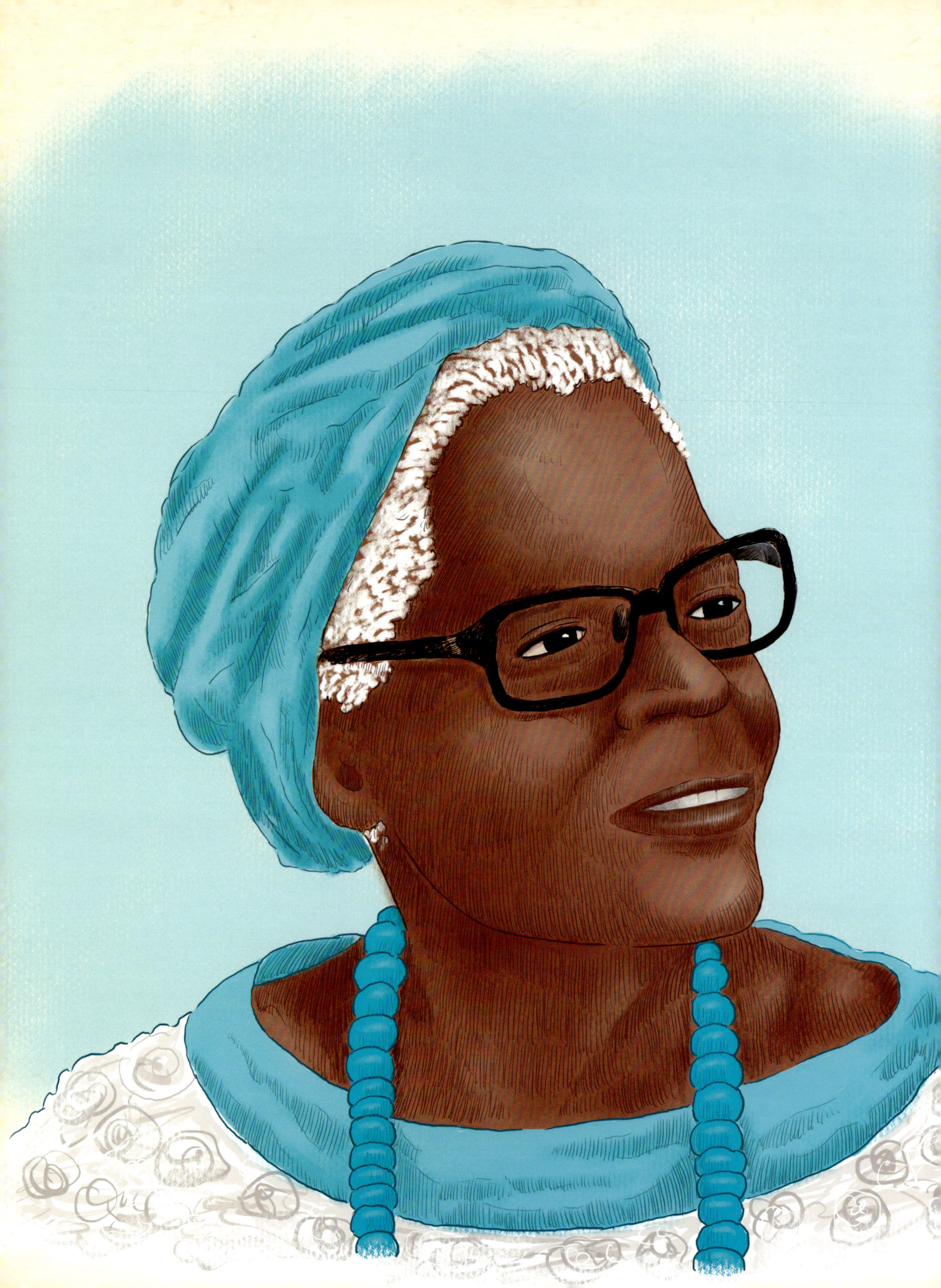

Ao invés de se aborrecer, a velha senhora preferia sorrir da infantilidade humana, era assim que conseguia tornar a existência mais leve, pois o PRESENTE mostrava a todos, que o vasto conhecimento dos povos indígenas sobre o poder das plantas, na cura das enfermidades humanas, estava não apenas sendo pesquisado pelo mundo acadêmico, mas principalmente, confirmado o seu valor. Tal era o caso do Guaraná, planta nativa da Amazônia e muito utilizada pelos índios como estimulante. A ciência a chama de *Paullínia cupana*, enquanto os índios, *varaná* – árvore que sobe apoiada em outra –, e confirmou que além do efeito estimulante, serve também para combater as enxaquecas, e é um excelente tônico cardiovascular.

Mas era o presente que importava para a velha senhora. Como dizia sempre: "Meu Tempo é Agora" (título inclusive de um livro seu). "Vivo o aqui e o agora. O passado, recordo; o presente, vivo; o futuro, planejo. O mundo não para só porque as pessoas envelhecem, afinal, o velho, mesmo curvado, continua em pé", dizia ela.

Como sempre fazia, pediu ajuda aos Orixás – as divindades da sua religião. Aí não pode deixar de voltar ao passado e lembrar-se do seu amigo Pajé e das coisas que ele lhe falou a respeito das divindades do seu panteão religioso. Não foi com facilidade que a memória retornou, mas ela fez questão de forçar as lembranças de algo que foi tão significativo na sua caminhada. As lembranças aos poucos foram surgindo, mas não tinha certeza se elas lhes tinham sido ensinadas pelo Pajé ou se tinham sido lidas em algum livro. Não importa o tipo de fonte, basta apenas que ela seja confiável, o que dá a qualidade do conhecimento adquirido. Lembrou-se, assim, de alguns deuses:

· Jaci, deusa da Lua, Rainha da Noite.
· Guaraci, deus Sol.
· Rudá, deus do amor.
· Aruanã, deus da alegria.
· Yara, deusa sereia das águas doce.

Os seus deuses também fizeram questão de se apresentar:

- Oxóssi (Òṣọ́ọ̀sì), o protetor dos animais, provedor da humanidade.
- Oxum (Òṣùn), deusa das águas doces, esposa de Xangô (Ṣàngó), o deus do trovão.
- Iyemanjá (Ìyémọnjá), a Grande Mãe, a deusa dos oceanos, que ama receber presentes.
- Exu (Èṣù), o mensageiro dos deuses.
- Ogun (Ògún), o ferreiro do céu.

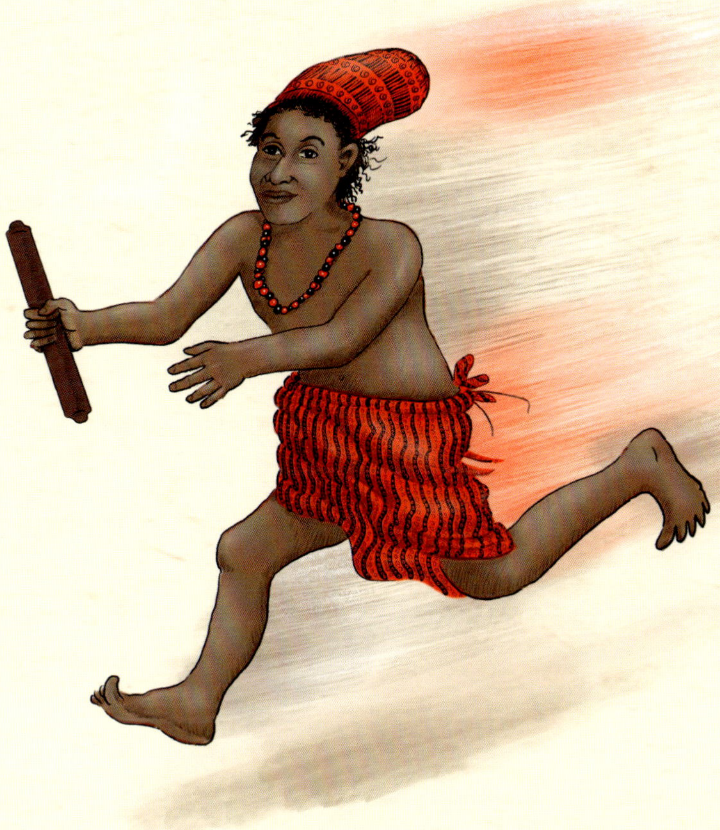

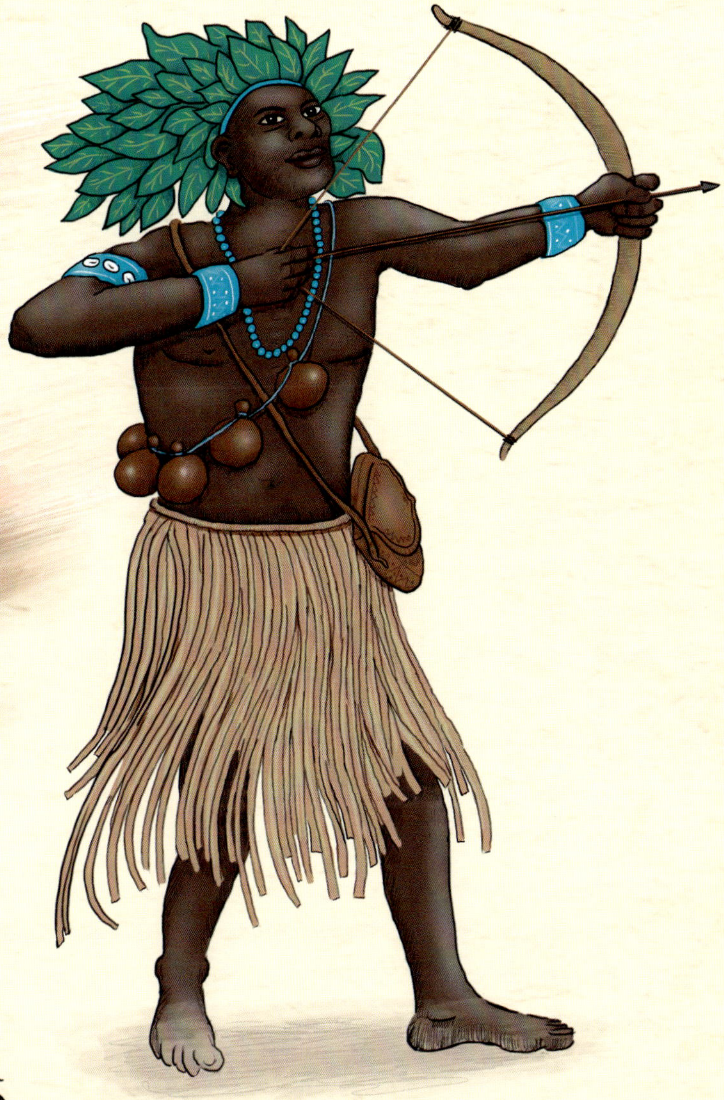

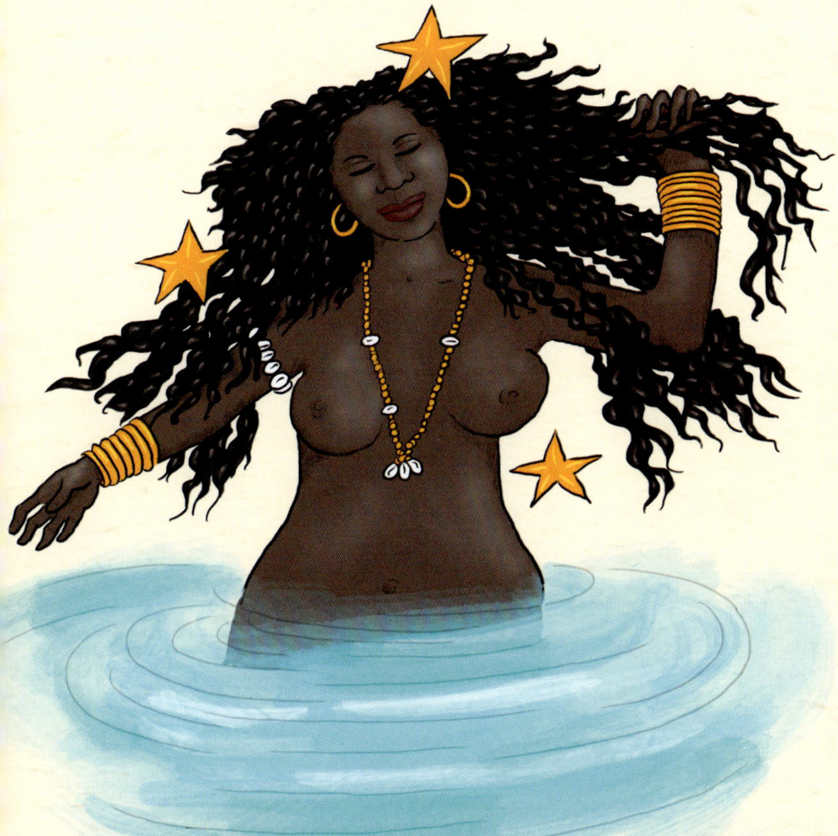

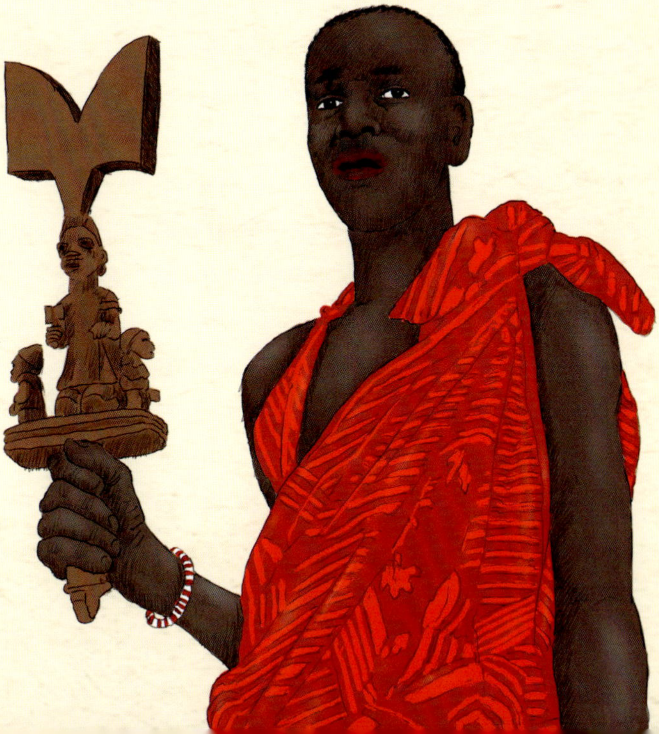

Essa velha senhora sou eu: Maria Stella de Azevedo Santos; Mãe Stella de Oxóssi; *Ọdẹ Kàyọ̀dé* – uma mulher que sorri com a vida, pedindo sempre que a vida sorria para todos.